KB098357

역몽 2. 진리

발 행 | 2024년 07월 15일

저 자 | 문준석

펴낸이 | 한건희

펴낸곳 | 주식회사 부크크

출판사등록 | 2014.07.15(제2014-16호)

주 소 | 서울특별시 금천구 가산디지털1로 119 SK트윈타워 A동 305호

전 화 | 1670-8316

이메일 | info@bookk.co.kr

ISBN | 979-11-410-9479-9

www.bookk.co.kr

역
몽

문준석 지음

차례

prologue. 달로

"시조의 민족들은 위성이라 불리는 씨앗을 만들어 전 우주로 뿌렸다. 씨앗들은 미완성체여서 많이 뿌려지진 않았지만, 몇몇 행성들은 생명체가 살게되었다."

이건 우리가 달에서 발견한 책이다.

"책이 왜이렇게 짧은거야!"

"왜겠어... 찢어진거지."

"아니 너네는 생각이 그거밖에 안들어? 아니 이게 왜 영어로 쓰여있고... 그런 생각이 들수도 있는거 아니야?"

"아니 그거보다 저번에 봤던 도시가 어느쪽이였지?"

"정확히... 여기서 북동쪽으로 210M 가면 돼"

저번에 봤던 그 신비한 고대도시. 우리는 그곳으로 얼른 출발했다. 가는 길엔 책에서만 보던 크리에이터가 가득했다.

"가는 길에 잡담이나 해볼까? 너네 우주복 안불편해?"

"불편하니까 안입어도 되는 사람은 조용히하자."

"싫은데?"

"라스피... 제발!"

이렇게 떠드는 사이... 그곳에 도착했다.

"이번엔 아무것도 없는데?"

"아니. 더 가까이. 내 감이 말하고 있어."

천천히, 더 천천히.

“어?”

우리는 투명한 벽에 가로막혔다.

“그래. 이곳이야.”

“그럼 장치 작동시킬게”

그는 장치를 작동시켰다. 위이이잉... 위이이잉... 소리를 내며 뾰족한 바늘 같은 것이 나왔다. 바늘은 벽을 찔렀고, 벽은 터져나갔다. 벽이 사라지며 도시는 나타났다.

“음... 역시 예전에 본게 맞았어.”

여기저기서 최첨단 기계가 나왔다.

“내가 만든 장치 따위와는 비교도 되지 않을정도야.”

지금은 아무도 없지만, 지구 입장에선 로스트 테크놀로지라고 말하기에 충분했다.

“야! 여기 책 하나 더 있어!”

“그럼 읽어봐”

“또 지구라는 행성의 유기체들은 씨앗까지 점령하기 시작했다. 그러나 그것을 알게된 시조의 민족들은 그들 에게 천벌을 내렸고, 유기체들은 지구상에서 사라지게 되었다.”

“뭐? 그럼 우리 인류는 뭔데?”

“그건... 책을 더 찾아봐야 하지 않을까?”

“일단 도시를 찾았으니 안으로 더 들어가보는게 나을 것 같아.”

도시의 안으로 들어갈수록 상상도 못한 물건들이 나왔다. 건들면 공중에 뜨는 물건, 아직까지도 계속해서 움직이는 동력원. 그로인해 아직도 도시의 전기는 끊기지 않고있다.

“와... 여기서 하나만 가져가도...”

“그만하고. 더 들어가자니까?”

“알았어.”

그는 애처럼 굴었다. 처음으로 장난감을 발견한 어린 아이처럼.

“빨리가자.”

아무리 가도 계속해서 나오는 신문물. 우리는 도시의 중심으로 들어간다.

1. 달의 도시

많은 사람들이 살았던 도시. 몇백만년, 수천만년이 지났으에도 변함 없이 남아있었다.

“여기 있던 사람들은... 어떻게 된걸까?”

“뭐 어떻게 됐겠어. 다 죽었겠지.”

사람들의 온기는 싸늘하게 식었다. 그저 그때의 그 모습만이 그대로 남아있을 뿐

“이거 봐봐 이불이 엉크러져 있어”

“예전에 살던 사람이 살던 모습이겠지. 내생각엔 달에 공기를 만들어주는 장치가 오랜 시간이 지나며 꺼져버렸고, 그로 인해서 이렇게 된것같아.”

“슬프다... 그럼 이 곳들에 그사람들의 추억, 인생들이 담겨 있는 거잖아?”

앤은 슬픈 표정을 지었다.

“계속 가자. 도시의 최심부로.

“알았어.”

우린 계속해서 걸어갔다. 어떤곳은 썩지 않은 채소가 가득했고, 어떤 곳은 동물의 사체가 널려있었다.

“저길봐!”

저 멀리, 높은 탑이 보였다.

“저기가 최심부인가?”

“저곳이 우리가 진리를 찾을 열쇠일거야. 들어가보자”

우리는 탑의 안으로 들어갔다.

“조심해!”

탑의 내부에는 함정이 가득했다.

“이건 뭐지?”

“어? 아니 그걸 밟으면…”

코스모스가 함정을 밟았다.

“어?”

우리는 위로 날아갔다.

“일단 내 위로 올라가.”

다행히 다친곳은 없었다.

“다들 무사하지?”

“응. 이제 다시 들어가자.”

2층. 우리의 앞에는

“와…”

아름다운 환상이 펼쳐져 있었다.

아름다웠다. 정말로 아름다웠다.

이게 과학이 만들어낸 환상이란걸 알지만...

이 환상을 부수고 싶지 않았다.

"어... 어?"

잠시 정신을 차리니 환상은 깨져있었다. 그와 앤, 코스모스는 아직 환상에 빠져있기에 건들지 않았다. 나도 아름다운 환상을 보았기에.

"뭐... 뭐였지?"

점차 한명씩 깨어났다.

"다들 아름다운 환상은 봤어?"

"어? 그게 환상 이었어?"

"그래. 다음 층으로 올라가자."

우리는 계속해서 위층으로 올라갔다. 또다른 환상, 새로운 함정이 계속해서 나타났다.

"헉... 헉... 힘들어... 조금만 쉬자"

그냥 빨리 가자. 빨리 끝내고 연구소나 집에가서 쉬는게 나아."

"알... 알았어."

"아까 23층 이였고, 지금은 22층 이니까... 다음이 마지막 일꺼야."

마지막 층으로 올라왔다. 이번에는 환상 같은것은없었다.

"... 고독하네"

첨탑의 위는 고독하다. 주변에는 아무것도 없고, 겨우 보이는 마을도 멀리 떨어져 있다. 밤인지 낮인지 모를 어두운 하늘. 그것 뿐이었다.

"어디서 소리 들리지 않아?"

"어? 소리가 어떻게 들려"

"그러네. 생각해보니까 우리가 어떻게 대화를 하고 있었지?"

"일단은 중력은 있고, 공기는 없는데..."

"안될게 뭐가 있어. 그게 과학이야."

"그래서 일단 소리가 어디서 들려?"

“저기에 안테나 같은거 달린 건물 있지 않아?’ 저기서 나는데”

‘어차피 첨탑의 꼭대기 까지 온김에 저기도 가보자.”

“잠깐, 기다려. 저길 봐.”

옆에 놓여 있던건 한 책상과 모스 부호 장치. 그곳에선 무언가

흘러 나오고 있었다.

“ _·_ ··_ __· _·__ __· · _·_ _·_ _·__

_·_ ··_ ··_· ···_ ·_· ·_·· · ··_· ·

__ · ··_· ·__ ·__ __·_ ·_·· ·_ ·__·

_ ··_· ·__ ···· ·__· ···· ·_·· _·_ _

__· __· _··· · ·_·_·_ ··_· _ __ ····

··_· · _··· ·_ _·_ ·_ ··_ ···_ ·_ ·__

_··· · ·_·_·_”

“음... 해석하자면 이 세상에 인류가 나만 빼고 전부 죽었다.

너무 나도 외롭다. 인데?”

“그럼 이곳에 있던 사람이 전 우주에서 마지막으로 죽은

사람인거야?”

“어... 고독했겠어.”

우린 이 모스 부호를 종이에 적어두고, 다음으로 떠났다.

“굳이 계단으로 내려갈 필요 있어? 내 등에 올라타.”

우리는 빠르게 아래로 내려갔다. 그리고 신호가 들리던 곳을 향해서 나아갔다.

“만약... 이 여행이 길어지면 어떡할거야?”

“뭐가 걱정거리야? 우리한테는 넘치는게 시간인데.”

“그렇긴 한데... 우리는 지금 너무 대책이 없잖아. 당장 시조 민족인가 뭔가가 우릴 죽일수도 있잖아.”

“그렇긴 한데... 우리가 여기를 개척하는 것도 아니고 상관 없지 않을까?”

“하...”

나는 크게 한숨을 쉬었다. 내가 산소가 없어도 숨을 쉴수 있어서 다행이다.

“일단 너네 산소통은?”

“이거? 적어도 한달은 가서 딱히 상관은 없어.”

“알았어. 그럼 나머지 음식은?”

“음식이 별로 없긴 한데. 2주는 버틸 수 있어. 넌 음식 안먹어도 되잖아.”

“그래... 계속 가자.”

어쩔 수 없이 우리는 그 곳으로 나아갔다.

“여기서 모스 부호 뭔지 알수 있어?”

“아니... 들리긴 들리는데 소리가 명확하지 않아서”

달리고, 달렸다. 이번에야 말로 진리를 찾을 수 있을 것 이다.

진리에 목숨을 건 우리를 위하여.

“드디어 도착이다.”

“음 이제 모스 부호가 명확하게 들려.”

“_·_ ···· ···_ ··_ _·_ _·· ··_ ·__· ·_ ··_· ·__· __·_ ···_ _·· ···_ _·_ · ·· _· _·· ··_· ·_·· ·”

“이거야”

“그래서 뜻이?”

2. –·– ···· ···– ··– –·– –·· ··– ·––· ·–

··–· ·–––· ––·– ···– –·· ···– –·– · ··

–· –·· ··–· ·–·· ·

"우리의 존재를 아는가?"

메시지의 뜻은 그것이었다.

"뭐? 신호를 어디서 보내는 건지 알수 있어?"

"아니... 몰라"

"그럼 물어봐"

“_··· · _·_ __· ··_ ··_· _·_ _·· ··_· _·

_ _ _··· ··_ _·_ _·__ _·_ ··_ __· __

· ··_· _·· ··_· ·_·· · ··__··” ”_·_ ···· ··

·_ ··_ ··_· _·· ··_· _··· · _·_ __· ··

_ ··_· _··· _·· ···_ _·_ _·· ··_ _·_·

__·_ ·_·· __· ·_ ·_·· _·_ _·__ _·_

··_ __· __· _··· · ·_·_·_”

“우리는 당신들의 책속에 있다?”

“책속에 있던게... 시조 민족? 그거 아니야?”

“ _··· · _·_ __· ··_ ··_· _·_ _·· ··_·

__· ··_ ·__· ·_ __ ··_ ··_· ·__· ·_

·_·· _·_ ··_ ·__ ··_· ··_ ·_·· ·_·· ·

··__·· ”

“_·_ ··_ ··_· ·_·· · ··_· _··· _·· ···_ _

·_ _·· ··_· _·_ ···· ···_ ··_ ···_ _··

···_ ·_·· _·· ···_ _ ·___ ·_·· _·__

·__ ···· ···_ _·· ·_·· ·_ ··_· ·___ · ·

·_· _··· · ”

“인간들은 우리를 그렇게 부르곤 한다.”

“그럼 일단 시조민족은 맞나봐.”

“_·_ ··_ ··_· ·_·· · ··_· _··· _·· ···_ _

·_ _·· ··_· _·_ ···· ···_ ··_ ···_ _··

···_ ·_·· _·· ···_ _ ·___ ·_·· _·__

·__ ···· ···_ _·· ·_·· ·_ ··_· ·___ · ·

·_· _··· · ”

“_·_ ···· ···_ ··_ ··_· _·· ··_· ····_

_·_· · _·_ ···· _ ··_· __· _·__ ·_·· ·

·· ··_ _·_ _·· ··_ ··_· __·_ _·_ ····

·__· ···· ·_·_·_ ”

“우리는 4차원 세계의 내우주라... 일단 우리 따위가 찾아 갈 수 있는 곳은 아니야.”

“·_·· _·· ·_·· ·_ __· ·_·· ·_ · ·__· ··
_ ·_·· ···· ··_· _·· ··_· _·_ ··· ··_·
·_·· ··· ···_ _··· ·_ ··_ _·_ _ _·_ ··
_ __· __· __· _·· ·__ ··_· ··_ ·_·· ·_·
· · ··__·· ”

“·___ ·_ · ··_· __· · _·_ _·_ _·· ··_
·_·· _·· ···_ ··_ __· _·· __· ··_ ··_
· ·__· _ ··_· ”

“환상의 그리스 신전? 라스리, 그런데 가본 적 있어?”

“그리스의 신전이라... 예전에 무대륙 지하에서 가본 곳인가...?”

“__ · ·__· ··_ __ · ·_·· ·__· ··_ ···_
__ ···· ··_· _·_ ··_ _··· · ·_·_·_ _·

·· · _·_ __· ··_ ··_· _·_ _·· ··_· ·_·

· _·· _··· _··· __·_ _·_ _·· ··_ _·_ ·

··· ··_· __ ··· _·_ _·_ _·· ··_ ·_·· ·

_ · ··_· ···_ ··_ ·__· · _·_ ··_ ··_· ·

_·· · ··__·· __ · ·__· _··· · __ ··· ··

_· _·_ _ ·__· ·__· __·_ __· _ ·__·

··_ ·_·· ···· _·_ _·__ _·_ ··_ __· _

_· _·_ _ __· __· _··· _ ··_· ·_·· _ _

_· _·_ ··_ ··_· ·_·· · ··__·· ”

“_··· __·_ _··· · ·__ ·___ · ···_ · ·_·_

·_ _··· __·_ _··· · ·__ ·___ · ···_ ·

·_·_·_ _··· __·_ _··· · ·__ ·___ · ···

_ · ·_·_·_ ”

10분이 지나도 20분이 지나도. 답장이 어째선지 오지 않았다.

“얘네 뭐야? 왜 신호가 안오는거야?”

“잠깐 기다려봐”

“음... 뭔가 느낌이 싸하지 않아?”

잠시 기다리자, 하늘에서 빛이 내려왔다. 그리곤 어디서 많이 본듯한 남자가 나왔다. 월계수 왕관에, 금발 벽안. 기다란 머리카락 까지. 자칭 운명의 관리자였다.

“안녕하세요. 다시 만났네요.”

“뭐야... 당신이 그 시조 민족 이였어?”

“뭐... 어쩌다보니 그렇게 됐네요 ㅎㅎ”

“ㅎㅎ? 그 이상한 말투는 뭐야?”

“아니 그것 보다, 궁금한게 있는데. 왜 인간이 달에 왔을때 이 도시를 찾지 못한거야?”

“... 그건 피치 못할 사정이...”

“뭐 알았어. 그래서 모스부호를 보내던 것도 너야?”

“네”

"그래 알았어. 또 궁금한게 예전 달까지 진출한 인간은 왜 죽인거야?"

"달은 당신들의 씨앗. 저희가 건들지 않았어도 언젠가는 자멸했겠죠."

"그럼 달의 지하에는 도대체 무엇이 있는거야?"

"그들이 이루었던 아름다운 문화재들, 그리고 핵에는 모든 생명의 근원지가 있어요."

"우리가 그 지하를 탐험한다면, 우리도 죽일거야?"

"왜?"

"진리를 찾기 위해서"

"뭐, 태양계는 제가 관리하니 허락해 드릴게요. 그대신 뭐 대규모로 오거나 시끄러우면 안됩니다. 걸리면 골치 아파지거든요."

"어. 당연하지."

"근데 땅으로는 어떻게 내려가요?'

“그건 직접 찾아보세요! 그러면 안녕!”

그러곤 자칭 시조 민족, 운명의 관리자는 사라졌다.

“뭐야... 얘는 맨날 나와서 하는 건 없고 모스 부호로 분량만 잡아먹어...”

“라스피? 그게 무슨 말이야?”

“어... 몰라. 무슨 뜻이지?”

“그럼 빨리 입구나 찾으러 가자!”

“근데 그게 어디에 있는지 알고?”

“그럼 혹시 모르니까 모스부호 보내볼까?”

“·__· ··_ ·___ · ···_ ·_   ·___ ·· _·_ ·
___ · ··_· _·· ··_·   _·_ ··_ ·__ ·_·· ·
··· ··_· _·· ··_·   _·_ _ _··· ··_ _·_ _
·__   _·_ ··_ __· __· ··_· _·· ··_· ·_··
· ··__·· ”

“–·– –·–– ·––– ·–· ·–·· –·· ·–·· – ··
–· –·– · ···– –·– · ––· – –·–· · ·–
–· –·– –·· ···– · ·––– ––·– ––· ––· ·
––· · ··–· ·––– –·– · –·– –· ·–·–·– –
– ···· – –·– – ·––· ·––· – ···– ––·
···· –·– – ·–– ––· ··–· –·–– –·– –·
·–·–·– ·––· ··– ·–·· ···· –·– –·–– ––
· – ·–– ·– –·– ··– ··–· –·· ··–· –··
· · ···– –·– –·· ··– –··· ···· ··– ––·
–– ··· ··–· ·––· – –·– ·–·· · –·– ····
··–· ·–·· –·–– ···– –·· ···– –·– ·–·
––· ··– –– ·––– ··– ·–– ·– ––· –·––
–·– –· ·–·–·– ”

“좋았어! 달 뒤편으로!”

3. 진리를 찾아서

나는 줄곧 고민해왔다. 진리는 항상 우리에게 길을 알려준다. 그러나 그 길이 과연 올바른 길이 맞다고 확신 할 수 있나? 이런 의문이 들은 것 이다. 하지만 우리가 지금 유일하게 찾을 수 있는것은 진리뿐. 그래서 나는 어쩔 수 없이 오늘도 라스피, 앤, 코스모스와 함께 진리를 찾으러 간다.

"라스피, 달 뒤편 이라니까 어딜 가는 거야?"

"그렇게 급하게 가야하는건 아니잖아?"

"... 앤, 얘 성격 변한거 맞지?"

"응. 눈 멈추기 전에는 되게 우울하고, 세상에 지밖에 없는 그런 성격이였는데, 눈 멈추고 나서는 애가 됐어."

"음... 그렇구나"

서둘러 달 뒤편으로 향했다.

"재는 지치지도 않나?"

“너 라스피 조종 리모컨 있지않아?”

“아니 신체능력만 조종할 수 있어.”

“아 잠깐만 내놔봐!”

앤은 내 리모컨을 빼앗았다.

“아!”

앞에서 라스피가 쓰러졌다.

“뭐한거야?”

“다리 힘을 뺐어.”

“야! 라스피! 너 조종할 수 있으니까 까불지 마라!”

“힝...”

“그럼 이제 다시 가볼까?”

걷고, 또 걸었다. 라스피는 아직도 뛰어다녔다.

“하... 하... 여긴데... 분명 여길 텐데...”

달의 뒤편에도 아무것도 없었다. 단지 수 없이 많은 크리에이터가 있을 뿐.

"그럼 이 크리에이터 중에 하나 안에 있지 않을까?"

"음... 꽤나 그럴 듯 해."

"저기부터 앤은 1라인, 라스피는 2라인, 코스모스와 나는 3라인을 맡을게."

우리는 크리에이터를 샅샅이 뒤졌다. 어느 크리에이터는 컸고, 어느 크리에이터는 작았다. 어느 크리에이터에는 커다란 돌이 있었고, 다른 건 없었다.

"야! 다 모여봐!"

"왜?"

"이 돌... 뭔가 인공적이지 않아?"

"들어봐 라스피."

"음... 뭐지?"

"손을 대보면 되는것 아닐까?"

땅에는 지문 인식 장치가 달려 있었다.

"음... 내가 이럴 줄 알고 마스터 키를 가져왔지!"

“어디서 가져왔어?”

“어디서 가져왔냐니...? 내가 만든건데. 어쨌든간에 열게!”

문은 열렸다. 한겹, 두겹, 세겹. 두터운 문은 차례차례 열렸다.

“이 안으로 들어가면 되는 걸까?”

“다들 조심해서 들어가”

지하 도시의 찬란함이 우리를 반겨주었다. 오른쪽은 크리스탈, 왼쪽은 백금등의 광물이 가득했다.

“와... 이런 문명도 운명 앞에서는 별수 없구나...”

“뭘 또 생각하고 있어? 그냥 가!”

깊숙히 내려갔다. 광장처럼 보이는 곳의 중심에는 동상이 있었다.

“음... 빨간색에 솟아있는 하나의 안테나. 그리고 모노아이. 뭔가 3배 빨라보여.”

“어? 저기에도 동상이 있어.”

“하얀색, 파란색. 두 개의 안테나. 고간의 v자. 마치 악마 같아.”

"음... 그래서 이게 뭘까?"

"전쟁 병기 같은것이 아닐까?"

"그럴 수도 있을 것 같아. 전차나 탱크 등 말고 인간형 전쟁 병기. 효율은 빼고 멋있잖아"?

"멋있긴 한데 탱크 같은 것 보다 효율적이지가 않은데 굳이 만들어야 할까?"

"뭐 다른 이유가 있었을 지도 있지. 일단 안으로 들어가자.?"

"뭐 알았어."

계단을 따라 내려갔다. 보수가 안된지는 오래 되어서 계단이 바스락 거렸다.

"코스모스, 조심해."

"어?"

"야!"

코스모스가 밟은 계단이 박살났다.

"갈게!"

라스피가 코스모스를 향하여 뛰어들었다.

“우린 아래쪽을 볼게! 크게 소리지르면 들릴거야! 이렇게 소통해!”

이렇게 두갈래로 나누어 가기로 했다.

“앤. 걸어가면서 대화좀 할래?”

“응.”

“넌 라스피랑 어떻게 친해진거야?”

“그게 놀이터에서 만났는데...”

“아 그건 알고 있어.”

“어?”

“미안하지만 난 라스피의 시점을 항상 볼 수 있거든. 너 납치당했을때 하스피가 구해줬고, 그때부터 친해진거지?”

“진짜?”

“지금도 이렇게... 이걸 피고, 연결하면...”

“안내면 진다 가위 바위보!”

"가위바위보를 하고 있는 라스피를 볼 수 있지."

"라스피! 가위바위보 하지마!"

"알았어!"

"음... 그러면 사생활 침해로 고소할거야!"

"진짜?"

"장난이야"

"아니 고소해봤자 아무도 나 못 잡아... 총따위는 배리어가 있거든."

우리는 계속 깊숙히 들어갔다.

"이건... 벽화?"

지하의 마지막 층, 그곳에는 벽화가 있었다.

"야! 나왔어!"

때맞춰 라스피도 도착했다.

"라스피, 이벽화가 뭐라고 생각해?"

"내 생각엔..."

라스피의 생각은 이러했다.

첫 번째 벽화. 달에 처음으로 내린 사람들. 그들은 레몬 모양의 기기를 중심에 심고, 달을 테라포밍 하려 했다.

두 번째 벽화. 그들의 소식을 전해들은 시조민족. 그들의 처리 방식을 논의한다. 가운데 있는 사람은 자칭 운명의 관리자이자 시조민족.

세 번째 벽화. 시조민족들이 달에 강림했다. 달에 있던 사람들은 죽었다.

마지막 벽화. 한 사람이 첨탑의 위에서 신호를 보낸다. 아무래도 마지막 생존자 같다.

"음... 이건?"

벽화에 옆에는 하나의 유골이 있었다. 쓸쓸하게 홀로 남겨진 뼈. 앤은 그에게 담요를 덮어주었다.

"이 층이 지하의 마지막이야."

"뭐,,, 땅파서라도 더 들어갈래?"

“응? 시조 어쩌구가 뭔 짓 하면 어쩌려고.”

“허락 받았잖아. 뭐 해봤자 죽기야 더 하겠어?”

“뭐... 그래! 근데 팔 장비는 있어?”

“당연히 있지. 잠깐만... 됐다.”

그는 가방에서 작은 드릴을 꺼냈다. 그러곤, 드릴은 커지더니

탑승할 수 있는 머신이 되었다.

“우와! 이게 뭐야?”

“다 안에 타. 더 깊숙히 들어갈거니 조심하고.”

“자, 가자!”

4. 지하로

그의 이름은 '란'. 나와 많은 시간을 함께한 존재다. 난 이사람이 싫다. 왜 란에게 나는 잘 보이고 싶을까? 앤과 코스모스. 우리가 함께 즐겁게 생활하는걸 자랑하고 싶다. 그는 눈을 만들어낸 파괴자이자, 여러 것들의 창조자이다. 의문이 들었다. 그의 기술력은 어디서 나왔을까? 예전에 물어본적이 있다.

"음... 그건 비밀이야."

시조민족이 어째서 지구에 있었을까? 란은 시조민족과 접촉했을 것이다.

"야! 라스피! 뭔 생각을 그렇게 하고 있어?"

"어? 어. 알았어."

달의 땅을 파고 깊숙히 내려갔다.

"여기 공간이 있는데? 내려서 보자."

"위험할 수도 있으니까 일단 내가 먼저 갈게. 나 베리어 줘."

역시나 빈 공간의 정체는 고대 유적이였다.

"음... 이건 지상의 그것과는 다른 모양인데?"

"시선 공유로 보고 있는 거지? 더 들어갈게!"

더 깊숙히 들어갔다. 안개가 짙어졌다.

"어? 저게 뭐야...?"

우리의 앞에는 괴물이 있었다. 전갈의 꼬리에, 사자의 발. 그냥 강한것만 모아노은 괴물이였다.

"아 아. 제 목소리가 들리나요?"

"어?"

"들리는 걸로 알겠고요. 그 괴물은 제가 준비한 선물이니까 마음껏 싸워보세요! 고마워할 필요는 없습니다."

"뭐... 일단 싸워야 겠지? 야! 그거 보내!"

란의 가방에서 장비가 나와 내 팔에 붙었다. 하나는 레이저, 하나는 칼 이었다.

"자, 제대로 싸워보자!"

괴물의 꼬리에서 액체가 나왔다.

"야! 이건 너무 강한거 아니야?"

액체가 닿은 구조물은 모두 녹아버렸다.

일단 베리어를 키고 근접전으로 갔다. 얼굴에 레이저를 지지면서. 칼에 달려있는 부스터를 가동시키고, 레이저를 쏜곳에 꽂았다.

"어라?"

녀석은 지 발로 내 배리어를 내려찍었다. 녀석의 힘때문에 배리어는 녹기 시작했다.

"이대로 가다간…"

"빵야!"

앤이 총을 쐈다.

"약점 파악 완료!"

"올~"

“빨리 다음으로 가자”

괴물을 물리치자 다음 문이 열렸다.

“자 그럼...”

“기다려!”

“아니 빨리 빨리...”

문 너머에 흙이 쏟아졌다.

”공간 작아서 그 드릴 못 가져오지 않아?”

“방법은 있어. 너 기계팔 줘봐.”

란은 기계팔의 레이저와 칼을 드릴로 바꾸었다.

“좋아. 이제 가봐.”

나는 드릴로 땅을 파고, 또팠다. 아무리 파도 나오는건 돌덩이와 흙 뿐.

“어? 이거 뭐가 걸리는데?”

“드릴 끝에서 폭발하는거 하나 나오거든? 넌 안죽으니까 폭발시켜.”

실을 당기자 무언가 나오고 4초후 폭발했다.

"와 이건 또 뭐야..."

또다시 우리의 앞에는 유적지가 나왔다.

"와... 여기는 유적지가 끝도 없이 나오네..."

"우리 왔어!"

"응. 빨리 탐사하자."

이번 유적지는 저번에 비해서 훨씬 컸다.

"탐사하는 데도 한참 걸리겠다. 난 이쪽으로 갈테니까 알아서들 나눠서 가!"

고대문명의 모든 곳에는 찬란했던 문명이 남아있었다.

"이 벽화는 뭐로 만들어 진거지..."

무엇으로 만들어져 전혀 안지워지는 벽화.

"뭐야? 이게 2개였어?"

전혀 오차가 보이지 않는 돌 조각들 까지.

"이 문만 열면 끝날 것 같은데..."

그 끝에는 전혀 열리지 않는 문이 있었다. 내 힘으로 아무리 밀어도 열리지 않고, 드릴로 갈아도 열리지 않았다.

"음... 그럼 혹시?"

난 아까그 벽화로 돌덩이를 들고 달려갔다. 벽화의 눈은 없었고, 돌은 눈 모양이였다.

"이걸 여기에 끼우면"

눈을 끼우자, 문이 열리기 시작했다.

"야! 빨리와!"

밖에서는 모두가 나를 기다리고 있었다.

"이제 어디로 갈거야?"

"음... 이쯤에서 누가 나올만 한데..."

또다시 빝은 반ㅋ짝였다.

"짜잔! 등장!"

"어? 왜왔어"

"부르셨잖아요"

"근데 유적지는 다봤거든, 그다음은 어디로 가야해?"

"음... 책에서 본말 기억 하세요?"

"뭐?"

"달은 씨앗."

"그게 왜"

"한마디로, 더 깊숙한 달의 핵으로 내려간다면 당신들 같은 인류의 씨앗을 볼 수 있다는 말입니다."

"진짜?"

"그러실줄 알았어요. 가는 법 알려드릴게요."

"빨리"

"일단 달의 핵은 물리적으로 갈 수 없어요. 당신들 기술이 아무리 발전해도, 갈 수 없다는 이야기죠. 그래서 시조 민족에게 주어지는 능력인 포탈을 타야해요."

"포탈? 그게 맞는거야?"

“아 비과학적인 거 아니에요. 그저 포탈을 만든 곳과, 포탈로 갈곳의 중력을 좀 이상하게 만들어 연결하는 겁니다.”

“그럼 빨리 만들어줘.”

“근데 단점이... 통과하면서 중력으로 너네 몸은 찢겨질거야.”

“에?”

“라스피 정도면 될텐데, 다른분들은...”

“음... 그러면 라스피만 가는걸로 할래?”

“뭐, 난 상관 없어.”

“일단 우리는 너 시점으로 보다가 갈 수 있으면 최대한 갈게.”

“아휴, 안와도 돼. 나 못믿어?”

“그럼 뭐 알았어. 우리 명령만 조금 따라주면 좋겠어.”

“빨리 포탈 열어줘.”

“자, 각오는 된거죠?”

“몇번을 물어보는 거야. 빨리 가자”

“자 열었어요. 들어가세요.”

포탈이 열렸다. 포탈 넘어로는 하얀것이 보였다.

"그럼 다녀올게!"

포탈로 넘어가자 파람 통로가 생겼다.

"이게 뭐지…"

무언가가 내 몸을 이상하게 만드는 느낌이 들었다.

"그래도 버틸만 하네."

"도착인가?"

"주변은 온통 하얀색으로 가득했다.

"저건… 뭐지."

5. 씨앗

난 씨앗 속으로 들어왔다.

“으... 으....”

주변에는 이상한 하얀 형체가 마ㅏㄶ았다.

“이게 뭐지...”

말하며 잠깐 눈을 깜박였지만, 그 찰나의 시간에도 그것들은 멀리 이동했다.

“야! 안들려!”

자칭 운명의 관리자에게 말을 걸었다.

“아! 얘기 안 해 드렸네요. 그것 들은 당신 인간들의 미성숙한 배아. 그것들이 지구에 떨어지고, 인류가 태어납니다.”

“그리고 또 더 알아야 하는건 없어?”

“그것들이 정신공격을 할겁니다. 그럼 이만~”

“아니 잠만...”

말이 끝나자 한 배아가 나에게 다가왔다. 그리고선, 머리에서 빛이 나왔다.

“윽... 으악!”

머리 속으로 수많은 기억이 스쳐 지나갔다. 내가 태어난 순간, 첫번째 눈. 연구소 탈출, 눈을 막은 남극에서의 기억까지.

“아니, 이런 기억은 나한테 없어... 없어야 하는데...”

나의 뇌에는 이상한 기억이 들어왔다.

“저게... 뭐야?”

롱기누스의 창위에 서있는 나, 세상을 멸망시키는 선택을 한 나. 그 가짜의 나들이 나를 훨씬 피폐하게 만들었다.

“아니야! 난 그런적 없어!”

끔찍하다. 너무나도 끔찍한 기억이였다.

“이건 또 뭐야...?”

목이 없는 물고기, 사이로 보이는 닭뼈. 피로 만든 달콤한 주스. 죽은 고양이, 피가 철철나는 개. 이세상 그누구에게도 존재하지 않을법한 기억이 계속해서 뇌로 들어왔다.

“어? 이제 잠깐 괜찮아.”

잠깐 동안 괜찮아졌다. 얼른 복수겸으로 배아의 머리를 걷어차고 밑으로 내려갔다. 내부의 표면은 하얀 껍질로 둘러싸여 있었다.

“앤! 내말 들리지?”

“어!”

“너 들어올 수 있어?”

“아니. 아직은.”

“그럼 어디로 갈까?”

“내가 봤을때 저 중심에서 배아가 만들어지거든? 정신 공격을 당할지는 모르겠지만 부탁할게.”

“뭐, 알았어.”

다시보니 중심부의 핵은 검은 빛을 뿜어내고 있었다.

“그래 저기일거야. 정신 공격을 당하기 까진 시간이 걸리니까, 그전에 배아를 때려잡으면 될거야.”

말을 마치자 마자 배아가 나왔다. 그 배아의 명치에 펀치를 날리고 머리를 내려 찍었다.

“그래, 이러면 안당하잖아? 빨리 가자.”

배아들이 여러마리 몰려와도, 차례차례 펀치를 꽂았다.”

“이게 코어네.”

“우웅... 우웅...”

어디선가 소리가 들렸다.

“이걸 어찌해야 하지.”

핵에 손을 대었다. 그러자 핵은 공하나의 크기 만큼 작아졌고, 내 입으로 들어왔다.

“라스피! 왜그래!”

내 손부터 점점 검은색이 보였다. 그리고 마치 역몽을 꾸는듯, 환각과 환청이 보였다.

"너... 깨어난 거야?"

"어?"

네 가장 오래된 기억이 역몽으로서 재생됐다. 나는 그걸 보고 있는 제 3자의 모습으로 나왔다.

"이게 벌써 몇년전이냐... 30 몇년일텐데."

란은 어린 나를 데리고 내 방으로 향해 갔다. 나도 란을 따라 갔다.

"란. 난 여기서 얼마나 지내야해?"

"그건 아직..."

'이 과거를 바꾸면 어떻게 되지?'

나는 이 과거를 바꾸고 싶었다. 그럴려면 일단 내가 나가고 싶어했던, 3년 뒤로 가야한다. 난 기억을 더듬으며 24601과 동행했다.

“와! 이거 뭐야? 맛있다!”

피자를 먹는 24601의 얼굴은 행복해보였다.

“이 행복이 오래갔으면 좋았을텐데. 아쉽네.”

24601은 장난감을 가지고 잘 놀고있었다. 그때, 현실세계의 소리가 들려왔다.

“라스피!, 라스피! 안들려!”

들리긴 하는데, 아무것도 할 수 없었다.

‘내가 여기서 행동하면 현실에서도 행동하나?’

난 오케이 싸인을 했다. 그리고, 꿈에서 일어났다.

“여기… 여기가 어디야?”

“씨앗의 밖으로 나왔어. 근데 그것보다 너는 괜찮아?”

“아니… 온몸에 힘이 없어.”

내 온몸은 검은색으로 변해있고, 힘이없었다. 그리고 오른팔을 썩은것 같았다.

“어! 자칭 운명의 관리자 또왔다!”

"벌써 오셨네요. 재미 없으셨나요?"

앤이 얼굴을 찡그렸다.

"그것보다, 이거나 봐. 이거 팔이 어떻게 된거야?"

"혹시 검은 핵을 만지셨나요?"

"응."

"아이고... 이건 그 우리만 고칠 수 있는데... 거기엔 인간을 데려갈 수 없어요."

"그럼 어쩌지... 뭐 의수라도 껴야하나..."

"의수 드릴까요?"

"어."

그는 잠깐 사라지더니. 번쩍하고 나타나 나에게 의수를 끼워주었다. 뭐 다른것 없이 맨살같았다.

"야, 멋있다!"

"잠깐만 귀 좀대봐요."

귀를 가져다 대었다.

“이거... 마법 약간 넣은 거예요... 대충 시간 어쩌구랑 염동 어쩌구 있어요...”

“알았어.”

“어디 가고 싶으세요?”

“우주의 끝.”

“뭐, 알았어요. 근데 우주는 계속해서 팽창하는데 어떻게 가게요?”

“우주의 끝너머, 팽창이 아무리 많은 시간이 지나도 도달하지 못할 곳.”

“알았어요. 이거 드릴테니까 삼키세요. 어떤곳에서도 살 수 있을거에요.”

“그럼 포탈 열어줘.”

“씨앗과는 비교도 안되게 위험할 겁니다. 당신들에게 운명의 게시가 함께하길.”

이번 포탈에서는 아무것도 보이지 않았다. 정말 아무것도.

"다들 준비는 됐지!"

"그래. 빨리 가자!"

"다들 삼켰지?"

"그럼 가자!"

모두들 환희로 가득찬 표정이였다. 이 여행이 언제끝날지는 모르겠지만, 기쁘면 되었다. 그리고 진리를 찾으면 되었다.

"위잉..."

우리는 포탈의 넘어로 갔다.

"진리를 찾고 오자."

"그래."

6. 운명의 계시

우주의 끝은 그저 무의 공간이다. 아무것도 존재하지 않았으며, 아무것도 보이지 않는다. 어디로 가야할까.

“저... 저건 뭐야?”

“내가 볼게.”

팔의 동그란 부분을 당기자 쓸 수 있는 능력들이 나왔다. 염동력, 벽 뚫기, 망원경... 그중 망원경을 골랐다. 망원경을 누르고 동그란 부분을 다시 넣자, 세상이 선명해졌다. 10배, 100배. 내가 생각하는 만큼 자동으로 확대 됐다.

“저... 저건 우주야.”

저 너머, 커지고 있는 점은 우주였다.

“야! 그 시조민족! 우주가 저기 왜있어?”

"아, 저건 팽창을 멈춘 평행세계의 우주입니다."

"그럼 저우주는 어떻게 되는거야?"

"서서히 수축하기 시작하고, 끝내 저 우주는 사라질 거에요."

그럼 저 우주에 있는 생명체들은 어떻게 되는 걸까? 웃으며 그런 끔찍한 사실을 말하는 그가 무서웠다. 아니, 아니면 당연할지도 모른다. 그는 시조 민족이다. 우주가 부서지고, 만들어지는 것을 수십, 수백번을 봤을 것이다. 저 우주는 예외 대상이 아니다. 그러니 웃는것. 내가 그와 대화를 하면서 알게된 사실은 이러하다.

1. 시조민족의 우주에 갑작스러운 폭발, 태초의 빅뱅.

2. 시조민족 탄생, 문명 발전.

3. 새로운 우주를 만들기 위한 기관 창설, 우리들의 우주 탄생.

끔찍하다. 이게 사실이라면, 모든게 이들에게 관리되고 있다.

"그럼, 우주는 모두 너네의 뜻으로 움직이는 거야?"

"아뇨. 모두는 아닙니다."

"그럼 눈은 막을 수 있던거야?"

"예방은 못해도 생기고 바로 없앨 수는 있었죠."

그럼 나와 앤이 그동안 했던 노력, 눈으로 인해서 희생된 사람들은 시조민족의 장난으로 놀아난것인가? 난 팔의 능력을 염동력으로 바꾸고, 그의 멱살을 잡았다. 어차피 괜찮다. 안죽는다. 미래 보는 능력으로 보았다.

"그럼... 어째서... 왜 우리를 구하지 않았지?"

"일단 진정하시고..."

"아니, 질문에 대답해. 어째서야?"

그가 힘으로 염동력을 뿌리쳤다.

"그야... 지금까지 숨겨왔지만... 눈은 사실 의도됐어요..."

"어?"

"눈의 이유는 란의 실수가 아닌 시조민족의 의도라고요."

“달에 진출했던 인류 들처럼 당신들도 눈이란걸 통해서 멸망시키려 했습니다. 근데 당신이 막았어요. 그래서 실패했습니다. 됐어요?”

괜히 그에게 미안해졌다. 하는 말만 들어보면 아무래도 상사가 한것 같은데, 내가 직접 보는 민족은 이 사람밖에 없으니까 어쩔 수 없다.

“일단 여기서 뭘 더할수 있어?”

“저 팽창이 멈춘 우주로 우리를 데려다 줘.”

“왜요?”

“우주의 끝이 어떻게 생겼을지 궁금하잖아.”

“다들 동의 하시는 걸로 알겠습니다.”

우주의 끝은 그저 한없이 넓은 빨간 고리로 덮어져있었다. 우주의 끝에 다가갈 수록 시공간에 균열이 생기고 눈 앞이 흔들렸다. 머리가 흔들렸고, 알 수 없는 무언가가 내 기를 짓눌렀다.

"다들 괜찮아?"

"어..."

나는 앞으로 나아갔다. 그 의수를 앞을 향해서 뻗었다.

"이건 또 뭐지..."

의수의 동그란 부분이 스스로 뽑혀져 나오고, 노란빛이 감돌았다. 그러고선, 기하학적인 모양을 내면서 우주를 밀어냈다. 그중에, 우주 밖에서는 소리가 들렸다.

"오! 성공했다."

"너가 대려온애 유능한데?"

"그럼."

아무래도 그가 친구와 대화하는 듯 했다.

우주의 팽창이 시작됐다. 별도 없는 그저 한없이 넓은 공간이 생겨났다.

"저기요? 나오실래요?"

"어!"

우리는 다시 우주의 밖으로 나왔다. 검은색으로 가득한 곳에서 나오자 하얀색으로 가득한 무의 장소가 또다시 펼쳐졌다.

“잘하셨어요. 친구가 부탁했거든요.”

“우리를 다시 우주로 보내줘.”

“네.”

“우리를 일단 다시 지구로 보내줘”

다시 지구로 돌아왔다. 란은 급한듯이 컴퓨터를 켜고, 무언가를 적었다.

“무의 공간에는 아무것도 없었어. 그런데, 우리끼리는 서로 보였어. 그도 빛을 발산하고 있지 않았지.”

“그럼 우리는 어떻게 본거야?”

“그걸 알아내야 해.”

“아... 지금쯤 누가 나타나면 좋을 것 같은데...”

“짜잔!”

또다시 빛을 뿜어내며 그가 왔다.

“우리가 아무것도 없는 곳에서 서로를 어떻게 본거야?”

“우주는 따로 보관창고가 있다고 했죠? 그래서 소량의 빛을 조금은 줘야 관리가 되기에 빛이 있습니다.”

“그럼 우주의 끝이 붉은 고리인 것은?”

“우주의 여러 환경을 조절할 수 있는 장치입니다.”

“빅뱅은 어떻게 일어났어?”

“음... 그건 직접 보시는 편이 빠를 겁니다. 아까 먹었으니 우주복은 안입어도 될거에요.”

그러고선 우리를 다시 우주의 중심으로 데려갔다.

“이곳이 우주의 중심입니다. 수백억년전, 당신들의 모든게 시작된 장소이죠.”

우주의 중심에서는 작은 점이 빛을 내고 있었다.

“이게 빅뱅전 모든것이 모여있던 점입니다. 저희는 이것을 초점이라고 합니다.”

초점이 다시 터질 듯이 밝게 반짝였다. 초점은 따뜻했다. 차가운 우주 속에서, 그 근처는 따뜻했다.

“자, 여러분들이 원하던 진리. 다 찾았나요?”

“이건 그냥 궁금한건데. 자이언트 아크나 빅링 같은건 자연적인 물체야?”

“그건... 인공적인 물체입니다. 당신들의 우주를 잔디라고 비유하여 봅시다. 잔디 밭에 들어가지 말라고 해도, 들어가는 사람들이 있습니다. 그게 시조민족이 가끔 타고오는 ufo 같은 것입니다.”

“그리고 그 커다란 물체들은 환경보호 센터 같은 곳이죠.”

말로 들었어도 믿기지가 않았다. 우리 지구는 그럼, 도대체 뭐하는 곳이란 말인가.

우리는 그동안 우주의 유일한 고등 생물체라고 자칭하며 살아왔다. 그러나 우리는 그저 고등 생물의 장난감이었다.

“괜찮습니다. 당신들은 장난감이 아니에요.”

그가 내 마음을 읽은 듯 했다.

“다시 지구로 보내드리면 될까요?”

“어.”

우린 다시 지구의, 연구실로 갔다. 오랜만에 왔다. 달아세 보낸 시간동안, 변한 것은 없다.

“여기 앉아봐.”

“왜?”

“물어볼게 있거든.”

“뭐?”

“아이디어를 좀 얻으려고. 너네 동굴 속의 우화라고 알아?”

“아니.”

“그럼 이데아론은?”

“몰라.”

“그럼 이데아론부터 설명할게.”

7. 동굴 속 진리

“이데아는 플라톤 철학의 핵심이야.”

란이 이야기를 하기 시작했다. 워낙 이야기 하는걸 좋아하는 성격이라 눈빛이 초롱초롱해졌다.

“물부터 좀 마시고 말해.”

란에게 앤이 물을 줬다.

“일단 이데아는 실제로 존재하는 것이고, 우리가 살아가는 이 우주는 모두 이데아를 본뜬 것이야. 시공간을 초월한 그 공간은 진짜 세계지.”

“동굴 속의 우화는?”

“국가 7권에는 이렇게 써있어.

지하의 동굴에 살고 있는 사람들을 상상해 보자. 빛으로 향한 동굴의 좁은 통로가 입구까지 달하고 있다. 사람들은 어릴 적부터 손과 발, 목이 속박되고 있어 움직이지도 못하고, 쭉 동굴의 안쪽을 보면서, 되돌아 보는 것도 할 수 없다. 입구의 아득한 위쪽에 불이 불타고 있고, 사람들을 뒤로부터 비추고 있다. 불과 사람들의 사이에 길이 있어, 길을 따라서 낮은 벽이 만들어져 있다. ...... 벽을 따라서, 여러가지 종류의 도구, 나무나 돌 등으로 만들어진 인간이나 동물의 상이 벽 위에 옮겨져 간다. 옮겨 가는 사람들 속에는 소리를 내는 것도 있으며, 입 다물고 있는 것도 있다.”

체력이 떨어진지 숨을 헐떡였다. 란도 나이가 든게 확실하다. 물을 한모금 마셨다.

“여기서 손발이 속박된 죄수는 현실 세계에만 시점을 맞추고 있는 사람들을 뜻하고, 그림자는 이데아의 모든걸 따라한 현실세계를 말해.”

“천천히 말해”

“알았어...”

“흠...흠...”

란은 목을 풀고, 천천히 심호흡을 한뒤에 이야기했다.

“여기서 우리가 겪은 일과 연관점을 찾을 수 있지 않아?”

“어?”

란이 손을 내밀었다. 삼각형... 사각형, 오각형. 손에서 차례대로 기하학적인 무늬가 튀어나왔다. 마침내 도형은 원이 되었고, 그동안 우리가 우주에서 지나온 길을 보여주었다.

“이때를 봐봐. 그가 우리에게 뭐라 했지?”

“시조민족이 우리의 우주를 관리한다고.”

“그래, 그거야.”

란이 손가락을 튕기자, 우리를 죄수에 비유한 이미지가 나왔다. 묶여 있는 죄수는 우리가 되어 있었다. 그림자는 지구였고, 뒤에서 그림자를 만들고있는 자들은 시조 민족의 옷을 입고 있었다.

"맞아. 시조민족의 세계는 플라톤이 말하던 이데아고, 진리야."

손에서 다시 기하학적인 무늬가 나오면서 사라졌다. 그리고, 뒤의 컴퓨터가 켜지고 벽이 통째로 스크린이 됐다.

Tn=Own^2+Wion

수십, 수백개의 알파벳들의 향현이 이어졌다.그리고 그 결론,

Tn=Own^2+Wion

"truth number=outside world number^2+world in origin number.

진리의 수는 바깥 세계의 수의 제곱+기원의 세계의 수야."

"그래서 진리의 수가 뭔데?"

“그러니까 우리는 아직 진리를 몰라. 그러나 시조민족은 알겠지. 바깥, 평행세계의 우주는 몇개가 있을까? 우리의 마지막 여행의 주제는 이것이야.”

란이 박수를 두번 쳤다. 손틈 사이로 밝은 빛이 새어나왔다. 빛은 내 의수로 다가왔고, 동그란 곳으로 들어갔다.

“당겨”

트리거를 세게 잡아당겼다. 빛은 노란색으로 바뀌고 사람의 형체를 들어냈다. 그리고, 자칭 시조민족이자, 자칭 운명의 관리자인 그가 나왔다.

“어라? 강제로 부르는 법 어떻게 아세요?”

“그건 모르겠고 너 이거알지?”

란이 그에게 아까 만든 식을 보여주었다. 그도 고개를 끄덕이며 ok사인을 했다.

“진리의 수 구하는 법은 맞습니다! 어떻게 아셨나요?”

“내 똑똑한 머리.”

"뭐... 알겠습니다."

"근데 문제가 있어. 우리는 시조민족이 아니라서 외부 세계의 수를 알 수 없어."

"사실, 진리의 수는 저희 시조민족도 몰라요. 지금도 저희가 관리하지 않는 우주가 계속해서 생겨나고 있고, 사라지는 우주도 많습니다. 일단, 시조민족이 관리하는 우주는 5개입니다."

식에 5, 1을 대입해봤지만 아무 변화도 없었다. 식의 값이 맞으면 변화가 일어나게 해두었다.

"그럼 시조민족이 관리하는 우주 말고도 몇개가 더있는지만 알면 돼."

"그러나 관리를 받지 않는 우주는 10년도 못갑니다."

그가 고개를 가로저었다.

"그러나 우리가 시조민족의 세계에 갈 수는 있어?"

"아뇨. 시조민족의 세계는 시조 민족만 들여보내줍니다."

“아 진짜 한번만 들여보내주면 안돼?”

“아뇨. 안됩니다.”

그는 부탁하는 앤의팔을 쳤다.

“아 진짜 제발~”

“에휴, 그럼 이거 입으세요.”

그는 결국 포기하고 옷을 내밀었다. 그 옷은 지금 그가 입고 있는 것과 같은, 고대 그리스 형식의 옷이 였다.

“진짜? 지금? 이걸 입으라고?”

“네... 시조 민족의 전통복장이에요. 물론 저도 입기 싫지만.”

그래도 다행히 그리스처럼 상의가 없는 것이 아니라 상의 까지 감싸져 있었다.

“다 갈아입으셨나요?그럼 포탈 엽니다.”

“가자, 코스모스.”

붉은 빛 포탈이 열렸다.

포탈에 손을 뻗자, 투명해지며 통로가 생겼다. 우린 그안으로 들어갔다.

“이건, 빅뱅”

통로에는 지금껏 우리 우주의 역사가 기록되어있었다. 태초의 폭발, 빅뱅이였다. 그후로 우주가 팽창하는 모습이 상세하게 기록되어 있었다.

“이제 거의 다왔습니다.”

통로를 걷고, 걸었다.

화사한 햇빛, 몽환적인 호수와 안개. 그곳이다. 시조민족의 세계. 마치 꿈을 꾸는 듯한 모습이었다.

“이리오세요. 제어 센터로 갑시다.”

기술이 발전한 이 세계는 너무나도 아름다운 세계였다. 낮에는 무지개가 우리를 반겨주었다. 밤에는 아름다운 별들이 하늘을 뒤덮었다. 아름다운 은하수도 보였다. 새벽의 공기는 아름다웠다. 아직 별은 많았고, 저 너머에서는 붉은 보석이

떠오르고 있었다. 꿈같았다. 아니, 꿈인가. 어쩌다가 여기까지 왔을까. 일단 시작은 코스모스다. 코스모스로 달에갔고, 거기서 고대의 흔적을 찾았다. 달의 지하로 들어갔고 씨앗의 안으로 갔다. 우주의 밖으로 나갔다가, 평행우주로 갔다. 그후, 지금 이곳에 와있다.

"안들어가세요?"

그의 목소리였다.

"어... 들어갈게."

입구로 들어가자 신비한 것들이 많았다. 별자리가 박혀있는 벽에서는 누군가가 별자리의 위치를 바꾸고 있었다. 검은 벽에는 붉은 점이 박혀있다.

"이리오세요. 우리가 갈곳은 여기가 아닙니다."

우린 더 깊숙한 하얀 곳으로 들어갔다. 거대한 검은 구 5개가 있었다.

"저게..."

“당신들의 우주입니다.”

8. 시조의 민족

우리들의 우주는 동그란 구의 형태였다. 이런 작은 공간 안에서 우리는 희노애락을 느끼며 살아간다. 이 작은 공간안에서 그 많고 많은 일이 일어난다. 누군가는 애인을 잃은 슬픔에 빠져있고, 누군가는 주식이 떡상했다며 좋아한다. 짝사랑이 끝나고, 새로운 사랑은 시작된다.

“이 작은 세상 안에서 우리는 어떻게 사는거야?”

“우주로 들어갈땐 당신들의 몸이 작아집니다. 이 곳에선 먼지조차 안되는 크기로요.”

내 손바닥 위에 올려질 수 있을만큼 작은 우주는 우리의 삶의 터전이다.

“그럼 이 5개의 우주 말고 다른 우주를 찾으면 된다는 소리지?”

“네. 물론 찾을 수 있을지는 모르겠네요.”

우리는 그곳을 나와서 잔디밭으로 걸어갔다. 드넓은 평지에는 잔디가 무성하게 자라있었다.

“이곳에서 우주가 감지되었습니다. 이곳에 있는 우주의 개수만 알면 진리가 눈앞으로 다가올 것입니다.”

우리는 잔디밭을 샅샅이 살펴보았다.

“오른 팔을 보세요.”

오른팔에서 검은 빛이 뿜어져 나왔다. 트리거를 잡아당기자, 빛이 길을 밝혀주었다. 우주를 찾는 길.

“삐...삐...”

금속 탐지기 처럼 우주를 찾아내었다.

“이럼 꽤 쉬울것 같은데?”

“네.”

“왜 못찾았어?”

“시조민족은 우주에 들어갈때 빼고는 작아지는 것이 불가능합니다. 때문에 지하로 내려갈 수 없죠. 여러분들을 작게 만들어 드리겠습니다.”

순간, 우리는 흙과도 같은 크기로 줄어들었다.

“잘 찾아보세요~”

어두운 땅굴과도 같았다.

내 팔은 아래쪽을 가리켰다.점점더 깊게 내려갔다. 아무리 내려가도 끝은 보이지 않았다. 물론 당연하다. 1cm의 크기로 작아졌으니까.

손끝에서 울리는 소리의 울려퍼집은 점점더 거대해져갔다.

10분동안 땅을 파고 있었다.

"삑... 삑..."

이제는 더이상 아래쪽에서 소리가 나지 않았다. 오른쪽에서 소리가 났다. 그리고 흙들 사이에서, 검고 둥근것이 보였다.

손을 힘껏 뻗었다. 흙의 빈공간은 무너졌다. 있는 힘껏 그를 향해 소리질렀다.

"찾았어!"

"네. 손을 닿게 하고 있으세요."

마지막으로 드릴로 땅을파 우주에 손을 접촉시켰다. 내 몸은 천천히 커졌다.

"이게, 6번째 우주였군요."

"다른 우주는 없나 찾아주세요."

"어."

그 드넓은 벌판을 뛰어다녀봤다. 내 오른팔에 감지되는 것은 아무것도 존재하지 않았다.

빛이 내 앞에서 생겨났다.

“더이상의 우주는 없어요. 안찾아도 됩니다. 진리의 값을 증명하는 기계에 37을 넣어보니까 작동하더라고요.”

“그럼 그 우주는 어떻게 됐어?”

“생긴지 얼마안된 초기 우주더라고요. 나중에 가봅시다.’

드디어 여행이 끝났다. 너무나도 힘든 여행이었다. 그토록 바라던 목표가 사라지니 몸에 힘이 풀리는 것 같기도 했다. 이게 맞는걸까? 이 진리의 수로는 도대체 무엇을 할 수가 있단 걸까.

“이 진리의 수로는 뭘 할수있어?”

“이 기계를 드릴게요. 진리의 수를 대입하면 무한으로 에너지를 만드는 기계입니다. 1분에 1년을 쓸 에너지를 만들 수 있어요.

“응.”

이제, 다시 연구소로 돌아갈 때이다. 우린 그 짧은 시간동안 정말 많은 일을 겪었다. 아직 궁금한건 남아있다. 그 우주는 자연적으로 살아가고 있었다. 하지만 이제는 시조민족의 관리를 받게 된다. 그럼 어떻게 될까? 그곳에 있던 자연적인 생명체들은 모두 괴롭힘받을 것이다.

“그럼 포탈을 열겠습니다.”

포탈의 너머로는 우리의 연구소의 전경이 보였다. 시공간이 왜곡되는 느낌이 들면서, 연구소로 돌아왔다. 먼저 돌아온 란은 아까 가져온 기계를 설치하고 있었다.

“이걸 이렇게 하면...”

전선과 기계를 연결시켰다.

“진리.”

기계는 진리, 진리거렸다.

“진리를 쓰시오.”

란이 키패드로 진리의 수인 37을 입력했다.

"완료."

에너지를 만들어내기 시작했다. 시조민족을 상징하는 노란빛을 냈다.

"이거 말고 모든 전력을 끊어볼게."

순간, 연구소의 모든 전력이 끊겼다. 그러나 금방 다시 불이 켜졌다.

"와, 대단한데?"

"이거 우리 지구를 위해서는 못써?"

"당연하지. 우리가 존재한다는걸 아는 사람은 없고, 아는 사람이 있어서도 안돼."

"왜?"

"아직 인류에게는 너무나도 이른 기술들이야. 이 기술을 쟁취하기 위해서 서로 전쟁을 벌이고, 지구는 더욱 황폐해질거야. 그래도 괜찮아?"

"아니 그건 아닌 것 같아."

이 에너지로 우리는 지구를 지배할 수 있다. 미국의 군사무기들이 아무리 날고 긴다 하지만, 날 죽일 수 없다. 우린 이 지구, 태양계, 은하, 우주를 뛰어넘은 시조민족과 접촉했다. 전쟁을 일으키려는 인간들을 싸그리다 숙청시킬 수 있다. 하지만... 하지만... 난 그 인류를 건들지 않을 것이다.

“우린 섬으로 다시 돌아갈래?”

“그래.”

우린 달로 떠나기 전, 우리가 살던 섬으로 돌아왔다. 정말 오랜만에 느끼는 평범한 일상이였다.

섬을 만들때 란이 만들어준 바다와 연결된 지하로 내려왔다.

바다의 시원함과, 귀여운 물고기들이 나를 반겨주었다.

“라스피, 뭐해?”

”어.. 아무것도 아니야.”

이 아름다운 세계는 씨앗이 만들었다. 그 씨앗인 달은 시조민족이 만들었다. 한마디로 이 세계는 시조민족이 만들어냈다. 알아서는 안되는 사실을 알아버린 것만 같다. 이제 무얼 하든지 그게 생각날 것 같다.

"라스피, 나와. 낚시하자!"

"알았어."

사실, 시조민족은 내가 알게 아니다. 뭐가 돼었든지, 우리가 행복하며 된다. 이렇게 시간이 흐른다면, 사람들은 죽는다. 나는 나이를 먹지 않지만, 란과 앤, 코스모스는 나이를 먹는다. 란은 이미 70대이고, 앤은 20대다. 예전에 란과 대화를 나눠본적이 있다.

"란, 넌 몇 십년 있으면 죽잖아. 안죽게 안할거야?"

"안죽는 기술은 있어. 하지만 죽는 것도 생물의 아름다움이라고 생각해."

"그럼 나는?"

“걱정마. 너도 원하면 죽을 수 있게 장치를 만들어줄게.”

“그냥 죽지마. 되도록.”

9. 환상

섬으로 돌아가 평범한 일상이 다시 시작된지 1년이 지났다.그저 낚시도 하고, 가끔 놀러도 가며 평화로운 일상은 지속되었다.

“라스피, 연구소로 와.”

“왜?”

“일단 와!”

“왜 불렀어?”

연구소로 오랜만에 왔다. 그때 받은 동력장치가 여러개가 되어 있었다.

“자, 시조민족이 할말이 있댄다.”

저 너머로 빛이 생겼다. 간만에 보는 시조민족의 노란 빛이었다.

“네, 오랜만이네요.”

“왜 불렀어?”

“저번에 발견한 우주로 가볼래요?”

“어?”

“물론 직접들어간다는게 아니에요. 환상으로서 들어가는 것입니다.”

“어떻게 가는데?”

“따라오세요.”

그는 우리를 이동시켰다. 우리도 이동할때는 시조민족처럼 빛을 뿜었다.

"이 기계를 머리에 쓰세요."

흔한 vr기계같이 생긴 기계를 머리에 썼다. 기계에서는 우리의 눈을 향해서 빛을 내뿜었지만, 눈부시지는 않았다.

"하고 있어요."

기계로 무언가가 보였다. 아니, 내 눈으로 무언가가 보였다. 기계가 점점 내 눈과 가까워지는 것 같다가, 아예 내눈과 같아졌다. 이 우주 한복판에 서있는 느낌이 들었다. 그 우주에서도 빛과 함께 그와 앤, 모두가 나타났다.

"그럼 이 곳에 생명체가 존재하는 곳으로 가봅시다."

그가 손가락을 튕구자 배경이 바뀌었다. 행성들이 많이 보였다.

"아직 이 우주는 초기 우주입니다. 잠깐의 시간이지만 우주배경복사의 온도가 생명체가 살기 적합한 시대죠. 이 앞에 보이는 행성 말고도 많은 행성들이 생명체를 품고 있습니다. 한마디로 우주 전체가 골디락스 존이죠.”

우리의 우주도 이랬을 때가 있었을 것이다. 과연 그때 이 우주는 북적대는 생명체로 가득했을까? 그들은 전쟁으로 멸망한 걸까. 아니면 우주배경복사가 식어가며 멸종한 것일까. 둘중 무엇이라도 생명체는 존재할 것이다. 전쟁이라면 전쟁을 안한 일족도 일부는 존재할 것이다. 우주가 식어서 멸종했다면 어째서 그 온도에 적응하지 못했을까. 이 우주는 방대하다. 이 방대한 가능성의 세계에서 정말 온도에 적응한 생물이 하나도 없었을까? 그게 아니여도 지금도 골디락스 존에 있는 행성들은 수없이 많이 존재한다. 어째서, 우리가 관측할 수 있는 골디락스 존에 들어가있는 행성에는 생명체가 없을까?

“우리 우주에도 골디락스 존에 걸쳐있는 행성은 많아. 하지만 인류가 관측할 수 있는 우주에는 어째서 존재하지 않아?”

“생명체가 너무 붙어있으면 괜히 충돌할 수도 있습니다. 굳이 붙일 필요가 없죠.”

“그럼 이 우주는?”

“당신들의 우주도 이 시기에는 생명체가 많았습니다 하지만 모두 멸종했죠. 이 우주도 그렇게 될겁니다.”

“그럼 이 우주에도 씨앗이 뿌려지는 거야?”

“씨앗은 저희가 만들기도 하지만, 이럴때 남겨놨던 생명체를 이용하기도 합니다. 이미 몇몇 행성의 생명체는 채취 했어요.”

“인간을 만든 씨앗은 전자야 후자야?”

“저희가 만든겁니다. 공을 들여서요.”

초기 우주 임에도 아름다운 별들이 끝없이 펼쳐져 있었다. 어딜 둘러봐도 별, 별이었다. 저 멀리 행명체가 살고있는 점들도 보였다. 저렇게 작게 보이는 점에 수많은 유기체들이 살아 숨쉬고 있다. 인간도 우주적 관점에서 먼지보다 작은 존재다.

더 앞으로 나아갔다.

눈 앞에 보이는 작은 행성으로 날아갔다. 인류가 자연을 망치기 전에 지구를 보는듯 아름다웠다. 아름다운 금수강산이 그 행성을 이루고 있고, 고귀한 생명이 그 강산에서 뛰어논다. 고등 생물은 존재하지 않지만, 문명이 없어서 오히려 아름다운 자연이 손상을 입지 않았다.

"그럼 우주는 언제 식는데?"

"우주적 관점에서나 짧은 시간이지 실제로는 매우 긴 시간이에요. 이 생명에게도 충분한 시간일 겁니다."

"넌 생명을 어떻게 생각해?"

"생명은 그 자체로도 충분히 고귀한 존재입니다."

"근데, 시조민족이 우주를 관리하는 이유는 뭐야?"

"그 고귀한 생명체들을 보존하고, 알고 싶은 걸 알기 위해서죠."

"무엇을?"

“저희 우주는 어떻게 생겨났는지요.”

“똑같은거 아니야? 빅뱅.”

“아니요. 빅뱅이라 하기에는 증거가 없어요. 저희 우주에서는 우주배경복사도 관측되지 않았어요.”

그럼 시조의 우주는 어떻게 생겼을까? 신은 존재하지 않는다. 주사위 놀이를 하는 신이 있다면 그 무능한 신은 없어도 된다. 하지만 의문점이 있다. 신이 없다면 시조우주는 어떻게 생겼는가? 빅뱅은 증거가 없다. 그럼 우주는 정적인가? 아니다. 우주는 계속해서 팽창한다.

“그래서 다른 우주의 시작을 보며 탐구합니다. 하지만 저희가 원하는 결론은 항상 나오지 않았어요. 모든 우주는 빅뱅으로부터 시작했고, 우주배경복사라는게 관측되었습니다. 그러나, 어째서 우리의 우주는 그게 관측되지 않을까?”

“아니면 다르게 생겼을 수도 있어.”

“네... 일단 일로 와보세요.”

그는 우리를 한 소금 사막으로 데려갔다.

지금은 우기라 물이 고여있었다. 고여있는 물에 비추어진 하늘의 구름이 아름다웠다.

“밤으로 바꿔볼게요~”

이 행성의 시간이 밤으로 바뀌었다. 내 발아래에는 또다른 우주가 펼쳐졌다. 물에 비추어진 별들이 반짝였다. 지구에도 이런 곳이 있다. 하지만 어째서인지, 환상속의 이 곳이 더 아름다웠다. 바닥에 누워서 하늘을 바라봤다.

등이 차가웠지만 괜찮았다. 하늘을 향해서 손을 뻗어봤다. 당연하게도 내 손은 아무것도 닿지 않는다. 그래도, 기분은 좋았다. 이렇게 생각해본적 있다.

‘닿지 않기 때문에 아름다운 것 아닐까?’

그럴 수도 있을 것이다.

우리는 아름다운 별, 은하수들을 좋아한다. 우리는 그것에 닿을 수 없다. 그것은 지구에 까지 닿을 정도로 엄청난 빛을 뿜어내지만, 빛은 만질 수 없다. 막상 만지면 기분이 좋아지지 않을 것이다. 바라볼 수 있기에 아름답고, 닿을 수가 없기에 아름다운 것, 그건 사람의 마음도 같다.

“그럼, 다시 돌아갑시다.”

“벌써? 아쉽네.”

“언제든지 올 수 있으니까요.”

그가 웃으며 내 손을 잡고 순간이동을 시켰다. 아무 일도 없던 것 처럼, 다시 연구소로 돌아왔다. 앤과 코스는 이미 와있었다.

“내가 왜 코스야!”

“코스모스는 너무 길잖아.”

코스모스의 머리를 쓰다듬으며 말했다.

“연구 열심히 해!”

“너희도 잘가!”

다시 헤어지고, 집으로 돌아왔다. 진리의 끝이다.

epilogue. 진리

진리의 끝은 달콤하고도 허무했다. 우리의 궁금증은 해결됐지만, 뭐 딱히 달라진건 없었다.우리가 진리를 찾기 위해 했던 기나긴 여행이 마치 역몽을 꾼것처럼 느껴졌다.

진리로 달라진 것은 별로 없다. 하지만, 너무나도 이르게 진리의 대가가 찾아왔다.

"... 너. 나 없어도 잘 살 수 있지?"

"아니... 왜 죽어야해? 네 기술력이면 충분히 안죽을 수 있잖아."

"라스피, 저 꽃을봐봐."

고개를 돌리는 란의 모습은 매우 병약해져있었다. 고개를 돌리는 것도 버거워 보일 정도로, 숨을 쉬는 것도 버거워 보일 정도로.

"저 꽃은 시들어가고 있어."

"그게 무슨 상관이 있는데?"

"난 죽을 수 있는 것도 생명체의 미덕이자 아름다움이라고 생각해."

“지금 그게 중요해? 아름다움이 문제가 아니잖아! 너가! 너가 죽는다고!”

그는 밝은 미소를 만들며 내 머리를 쓰다듬었다. 나도 모르게 눈물이 나왔다. 사람의 마지막 모습은 어떨까라고 생각만 해봤는데, 실제로 보게 될줄은 몰랐다. 보고 싶지 않았다. 볼일이 없을 줄 알았다.

“앤과 코스모스도 영생을 거부했고, 언젠가는 나처럼 죽을거야. 그때도 울거야?”

“어…”

“죽는 사람은 기쁘게 보내줘.”

“슬프겠지만, 앞으로는 그럴게.”

그리고 밝은 미소를 지어보았다. 어쩌면 지금이 마지막이고, 지금 이 순간이 지나면 볼 수 없는 사람이기에. 내 생애에서 이렇게 밝은 미소를 짓는 것 같았다.

“그래. 앞으로도 이런 미소를 지어보길 바랄게.”

창문 너머에 있던 꽃에 바람이 불었다. 마지막 남아있던 꽃잎까지 바람에 날려 사라졌다. 이 세상에서 아름다움은 사라지고 있다. 지금도. 이 곳이 아니라 어디에서도 기쁨은 사라지고, 슬픔은 생겨난다. 가끔씩 피어나는 기쁨도 있지만, 금방 슬픔에 묻혀서 사라질 뿐이다. 여행으로부터 지금까지는 20년이라는 시간이 지났다. 앤은 40대가 되어버렸고, 자라지 않을 것만 같던 코스도 언젠가부터는 성인이 되어있었다. 100세에 죽는다고 가정하면, 한세기 안에는 나를 제외한 모두가 죽는다. 분명, 그들은 천수를 누리며 영원히 살 수 있다. 어째서, 어째서 그들은 영생을 거절할까…?

“앤, 넌 어째서 영원히 살지 않으려 하는거야?”

“나? 음… 딱히 생각해 본적이 없는걸. 그래도, 난 죽을 수 있는 것도 생명의 아름다움이라고 생각해.”

“란과 같네.”

“어. 이럴땐는 생각이 같나보네.”

“코스, 넌 어째서 영원히 살려고 하지 않아?”

“나? 몰라~ 너무 오래 살면 재미 없을 것 같아.”

“내가 있잖아.”

“몰라. 뭐, 아직 많은 시간이 있잖아”

“그래.”

내가 정작 이렇게 말하기는 했지만 너무나도 무서웠다. 란의 죽음을 이어서, 코스와 앤의 죽음이 내 앞으로 다가 올까봐.

나도 이런 내가 한심했다. 정작 죽는 사람들은 아무 생각이 없는데, 나만 혼자 이러고 있다.

내가 다시 혼자가 된다면 어떻게 될까.

눈이 올때처럼 되는걸까?

혼자가 되기 싫다. 내 옆에 항상 있어주고, 곁을 지켜주었던 그들이 날 떠나는걸 원치 않는다.

“라스피, 미안해.”

“안돼!”

내 손을 잡고 있던 란의 손에 힘이 빠졌다., 결국 죽음이 눈 앞으로 다가와 소중한 사람을 데려가 버렸다.

난 그들과 함께 웃고 웃었다. 그들과 함께라서 기뻤고, 슬펐으며, 행복했고, 불행했다. 그런 감정들을 모두 느낄 수 있던게, 그들과 함께 있는 것 이었다.

내가 가장 무서워 하는 건 시간이다. 시간은 우리를 속절없이 죽음으로 내몬다. 이미 쏴진 화살같이 멈출 수도 없다.

"앤. 정말로, 정말로 영원히 살지 않을 거야?"

이번에는 앤도 고민하는 표정이었다. 뭐, 당연하지만. 눈앞에서 란이 떠나갔고, 나는 울고 있었다.

우린 우리 나름대로이 장례를 치러주었다. 경야를 보내며 하늘을 바라봤다. 별들은 반짝였다. 아름다웠지만, 예전에 봤을때 만큼은 감동이 없었다. 닿을 수 없기에 아름다운 것. 그때문일까. 예전, 눈을 막기 위해서 남극에 갔을때 산에 올라갔던 적이 있다. 산의 정상에서는 너문도 아름다워, 지금까지도 기억에 남는 별들이 있었다. 별들의 배경으로는 보라색과 초록색의 아름다운 오로라가 있었다. 잊을 수 없는 아름다운 순간이었다. 진리를 찾기도 전, 눈이 사라지기도 전. 그때 보았던 별빛은 왜 지금보다 아름다웠을까. 힘든 여행을 겪고 있었기 때문일까? 우리를 달래주는 느낌이 들었기 때문일까? 아니, 닿지 못했기 때문이다. 그때의 나는 저 반짝이는 별빛에 닿지 못했다.

닿을 수 없기에 그것들은 아름답게 보였으며, 내가 그것들을 간직할 수 있었다.

내 앞에 있는 바다의 파도가 반짝였다. 밤의 고요한 바다에는 파도도 별로 불지 않았다. 바다는 하늘의 달과, 별빛을 반사해서 보여주었다. 바닷물은 천천히 모래를 스며들어와 내가 있는 곳까지 도달했다. 손이 시원해졌다. 란은 어디로 간걸까. 저 별들중 하나로 간걸까? 아니면 어디로 간걸까. 그건 시조민족만이 알고 있겠지.

트리거를 당기자 빛이 뿜어져 나왔다. 그리고 곧 시조민족이 나왔다.

“오랜만이네요. 왜요?”

“사람이 죽으면 어떻게 돼?”

“아... 란이 죽었군요.”

“너가 그걸 어떻게 알아?”

“당연하죠. 그때도 나이가 많았는데.”

“그래서, 사람이 죽으면 어디로 가?”

“그건 저희도 몰라요.”

“어...? 너희는 우주를 관리하잖아 어째서?”

“저희도 알아내고는 싶죠. 그런데, 알 수 가 없어요. 온 우주의 곳곳을 뒤져봤자, 죽은 사람이 발견되는 곳은 없습니다. 죽으면 말그대로 ‘끝’인거죠.”

인간의 말로란 참으로 끔찍하다. 그 사람이 생애에서 무슨 일을 했든, 무슨 짓을 했든 간에 죽으면 이 세상에서 존재가 사라져 버린다.

죽은 이들을 기억하고, 후세에 전해주는 것이 내 숙명일까.

“미래가 두렵다.”